KU-101-334

Lato
w Jeżynowym Grodzie

Tytuł oryginału
Summer Story

Redaktorka inicjująca, dzięki której książka powstała
Magdalena Kilian-Antoine

Adaptacja okładki, czyli polską wersję okładki zaprojektowała
Maria Gromek

Adiustacja
Aurelia Hołubowska

Korekta, czyli błędy w książce poprawiły
Katarzyna Onderka
Joanna Myśliwiec
Magdalena Wołoszyn-Cępa | Obłędnie Bezbłędnie

Łamanie, czyli słowa na stronach poukładali
Piotr Poniedziałek, Dawid Kwoka

Książkę wydało dla ciebie Wydawnictwo Znak Emotikon,
imprint Grupy Wydawniczej Znak

For more information visit the Brambly Hedge website at: https://bramblyhedge.com/

ISBN 978-83-240-9875-0

Przeczytaj, co o książce sądzą inni czytelnicy, i oceń ją na lubimyczytać.pl
Książki z dobrej strony: www.znak.com.pl
Więcej o naszych autorach i książkach:
www.znakemotikon.pl, www.wydawnictwoznak.pl
Społeczny Instytut Wydawniczy Znak, 30-105 Kraków, ul. Kościuszki 37
Dział sprzedaży: tel. 12 61 99 569, e-mail: czytelnicy@znak.com.pl

Wydanie I, Kraków 2024
Printed in EU

Lato w Jeżynowym Grodzie

Jill Barklem

Przełożyła
Katarzyna Szczepańska-Kowalczuk

znak emotikon
Kraków 2024

Lato było bardzo gorące. Słońce wspinało się co dzień wysoko na niebieskie niebo, a powietrze nad polami drżało z upału.

Gród stał sobie w ciszy. Wiele myszek szukało ochłody, pozostając we wnętrzu swoich cienistych

domków. Najlepszym miejscem na zewnątrz były okolice strumienia. Po południu myszki gromadziły się właśnie tam i siedziały w cieniu na brzegu. Majtały łapkami i ogonkami w czystej wodzie.

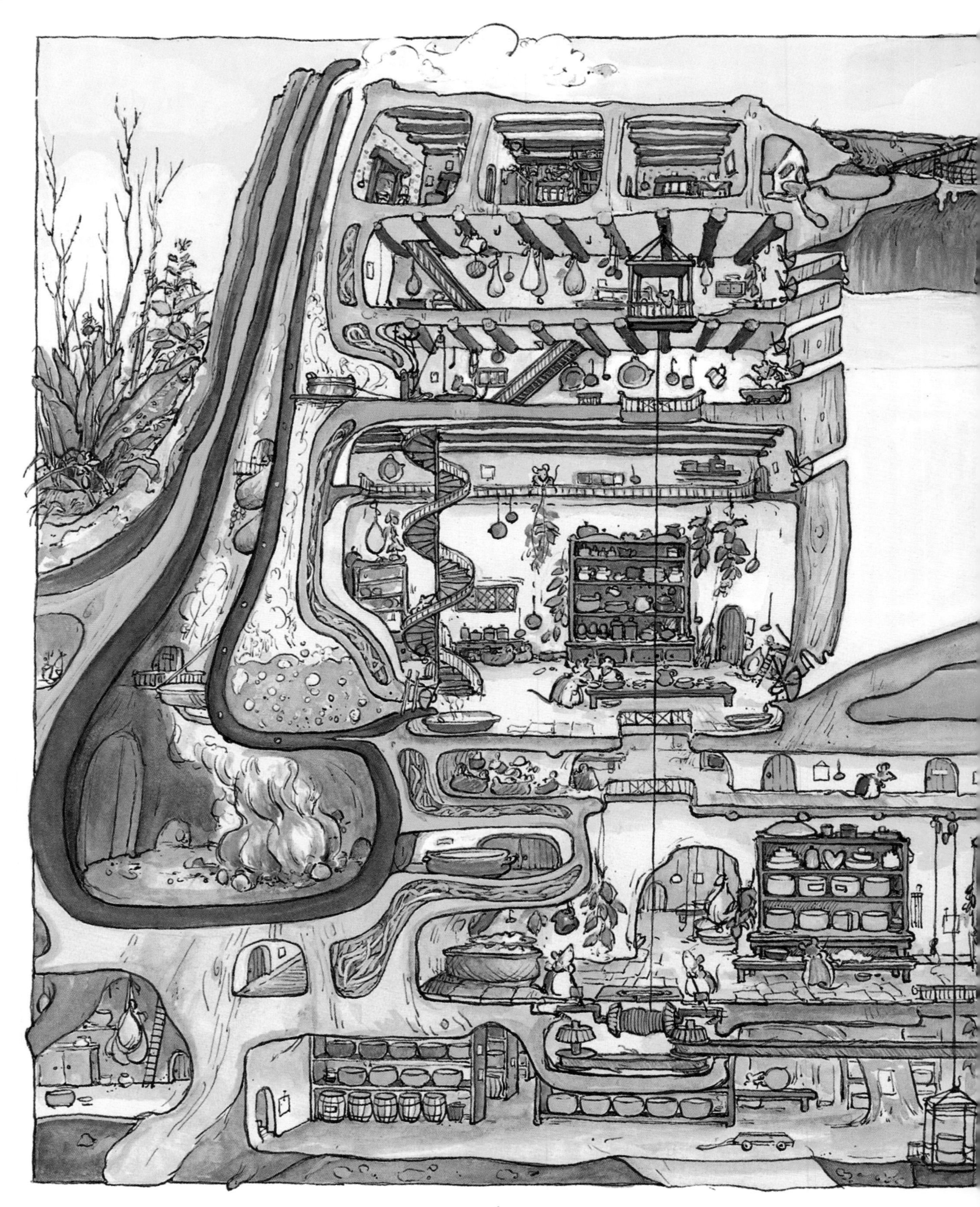

Nad strumieniem stały młyn i mleczarnia. Pęd wody obracał koła, które mieliły mąkę i mieszały masło dla Jeżynowego Grodu.

Makóweczka Bystrzycka sprawowała dozór nad Mleczarnianym Pniem. Pilnowała wielkiej cysterny, w której przechowywano mleko od zaprzyjaźnionych krów. Pod jej opieką znajdowały się także liczne kuchnie, gdzie odsączano, formowano, wędzono i pakowano sery.

Makóweczka nie przepadała za upałami. Jej osełki masła zaczynały się topić, jeśli nie były zawinięte w chłodne liście szczawiu, a garnki ze śmietaną, dla zachowania świeżości, trzeba było przechowywać w zbiornikach z wodą.

Kiedy Makóweczka kończyła swoją pracę, lubiła się przechadzać koło kamienia młyńskiego, wokół którego pluskała chłodna woda.

Młyn, stojący nieco dalej nad strumieniem, prowadzony był przez młynarza Derenia Mączniaka. Młynarz miał na nazwisko Dereń, ale zwano go Mączniakiem, bo od czubka ogona aż po wąsiki oprószony był zawsze mącznym pyłem.

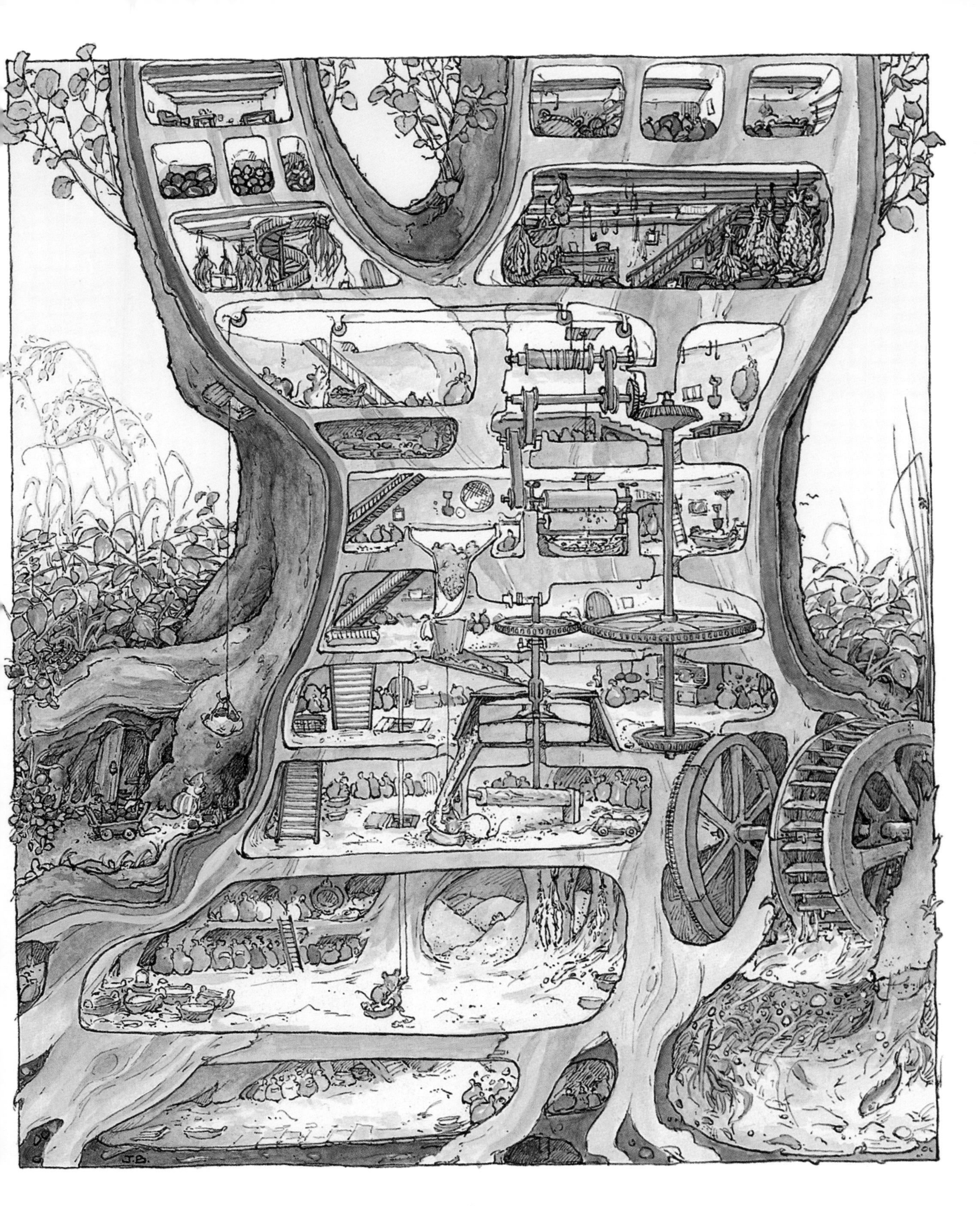

Podobnie jak jego ojciec, dziadek i pradziadek, którzy przed nim prowadzili ten młyn, Dereń wyróżniał się wesołym i przyjaznym usposobieniem. Uwielbiał ładną pogodę i chętnie spacerował w górę i w dół strumienia, gawędząc z amatorami kąpieli.

Trasa jego spaceru wiodła obok mleczarni, gdzie często nad strumieniem widywał śliczną Makóweczkę. Gorące dni mijały, a on coraz częściej zapuszczał się w stronę Mleczarnianego Pnia. Makóweczka natomiast coraz częściej i coraz chętniej wybierała omszały chłód w pobliżu młyńskiego koła.

Z początkiem czerwca panna Makóweczka Bystrzycka i pan Dereń Mączniak oficjalnie ogłosili swe zaręczyny. Ta wiadomość niezwykle ucieszyła mieszkańców domków wzdłuż żywopłotu.

Postanowiono, że ślub odbędzie się w święto zrównania dnia z nocą, i natychmiast rozpoczęto przygotowania. Makóweczka była tak pewna dobrej pogody, że postanowiła urządzić wesele nad strumieniem. To miejsce było najchłodniejsze, a poza tym niezwykle romantyczne.

Mączniak wyszukał w lesie wielki, płaski kawałek kory. Myszki przytaszczyły go na brzeg. Tam z pewnym trudem udało się go zepchnąć na wodę, tuż pod jaz młyna, i przy użyciu lin z sitowia i pokrzywy zacumować na środku strumienia.

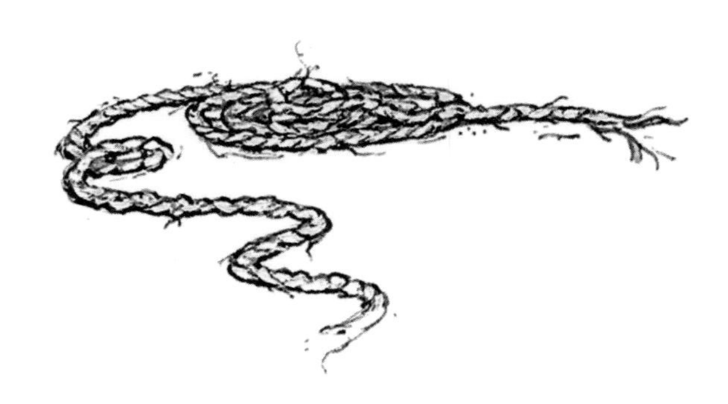

Makóweczka tymczasem szykowała sobie wyprawę. Każdego popołudnia siadywała w cieniu wysokich kaczeńców i haftowała suknię ślubną, którą chowała natychmiast, gdy ktoś pojawiał się na ścieżce.

Nareszcie nadszedł dzień ślubu. Niebo było niebieskie i czyste, a pogoda ładniejsza niż kiedykolwiek. W kuchniach Jeżynowego Grodu panował ruch. Przygotowywano w nich dania na letnie upalne dni: chłodnik z rzeżuchy, świeżą sałatkę z mleczy, desery z miodu, krem śmietankowy oraz bezy.

Młode myszki ruszyły wcześnie rano, żeby zebrać wielkie kosze poziomek.

Bazyli wybrał kilka gatunków białych win – pierwiosnkowe, łąkowe słodkie oraz wino z czarnego bzu. Pozawieszał je na trzcinach, by się schłodziły. Bazyli zarządzał wszystkimi piwnicami pod Składzikiem w Pniu. Był krępą, pogodną myszą z długimi białymi wąsikami i niezawodnym nosem do dobrych win.

Tymczasem w pokojach nad mleczarnią Makóweczka stroiła się do ślubu. Wypolerowała sobie wąsiki i skropiła się wodą różaną za uszkami. Słomiany kapelusik, który lady Drewienko przybrała dla niej kwiatami, wisiał na oparciu łóżka, a ślubny bukiet czekał na parapecie. Makóweczka rzuciła jeszcze okiem na swoje odbicie w lśniących drzwiach szafy, wzięła głęboki oddech i zbiegła na dół, by dołączyć do druhen.

Mącznik przechowywał swój najlepszy garnitur w koszu przy schodach, by chronić go przed molami. Teraz włożył go i wsunął sobie stokrotkę w butonierkę.

– Lepiej sprawdzę ten jęczmień, który wczoraj zmieliłem – powiedział sam do siebie. Tak szybko zbiegł po stopniach, że cały młyn aż się zatrząsł. Z drewnianej podłogi uniosła się chmura kurzu, który pokrył jego ślubny garnitur.

– A to ci pasztet! – powiedział, siadając na worku ziarna i z przerażeniem przyglądając się oprószonej pyłem marynarce.

Z dołu dobiegło go walenie w drzwi. Kasztanek, jego przyjaciel, nawoływał przez otwór na listy:

– Mączniaku, jesteś gotowy? Już prawie czas się zbierać.

Mączniak westchnął i markotnie ruszył po schodach na dół.

Kasztanek zaczął chichotać na jego widok.

– Nie bez powodu nazywają cię Mączniakiem – powiedział, starając się doprowadzić go do porządku za pomocą czystej chusteczki. Mączny pył zawirował i znów osiadł na wąsikach, ogonkach, odświętnych

strojach i butonierkach. Dwie myszy przyjrzały się sobie nawzajem i wybuchnęły śmiechem. Tak okropnie się śmiały, że musiały przysiąść na worku mąki, żeby się uspokoić.

Ślub miał się odbyć w południe i Mączniak z Kasztankiem przybyli w samą porę. Wszyscy goście włożyli na tę okazję swoje najlepsze ubrania. Trzy młode myszki w eleganckich niebieskich garniturach odgrywały rolę paziów i kierowały gości na ich miejsca. Pani Jabłuszko próbowała dyskretnie otrzepać pana młodego i jego drużbę z mąki, ale z marnym skutkiem.

Wreszcie stara pani Bystrzycka, babcia Makóweczki, wypatrzyła pannę młodą i jej druhny. Sunęły po trawie. Paziowie wydali pisk radości i zajęli swoje miejsca. Wszystkie głowy zwróciły się ku pannie młodej – goście patrzyli, jak kroczy przez jaskry, a potem wchodzi na udekorowaną tratwę.

Stary pan Nornica, którego poproszono o udzielenie ślubu, wstał i zapytał uroczyście:

– Makóweczko Bystrzycka, czy kochasz Derenia Mączniaka i czy będziesz go kochać i troszczyć się o niego przez całe życie?

Makóweczka przysięgła, że tak.

– Dereniu Mączniaku, a czy ty kochasz Makóweczkę Bystrzycką i czy będziesz ją kochał i troszczył się o nią przez całe życie?

– Będę – powiedział Mączniak.

Pani Jabłuszko pociągnęła nosem.

– Zatem w imieniu kwiatów i pól, gwiazd na niebie, płynących strumieni i tajemnicy, która w cudowny sposób objawia się w tych wszystkich rzeczach, ogłaszam was Myszorkiem i Myszorkową.

Wszystkie myszki wiwatowały, gdy Mączniak pocałował pannę młodą, po czym druhny obsypały szczęśliwą parę płatkami kwiatów, które miały w koszyczkach. Pani Jabłuszko otarła łzę wzruszenia i wkrótce rozpoczęło się weselne przyjęcie.

Wszystko zaczęło się od tańców, bo nikt nie mógł już dłużej ustać w miejscu. Pary ruszyły zatem do kadryla, wirowano w kółeczku i harcowano.

Pan Jabłuszko wzniósł toast.

– Zdrowie państwa młodych! Niech im rosną długie ogonki, niech cieszą się bystrym wzrokiem i niech piszczą tylko z błahych powodów.

Goście wznieśli kieliszki i znów puścili się w tany. Tak energicznie tańcowali, że tratwa podskakiwała w górę i w dół. Liny, które trzymały ją na uwięzi, zaczęły się przecierać. Jedna po drugiej pękały, aż wreszcie puściła i ta ostatnia.

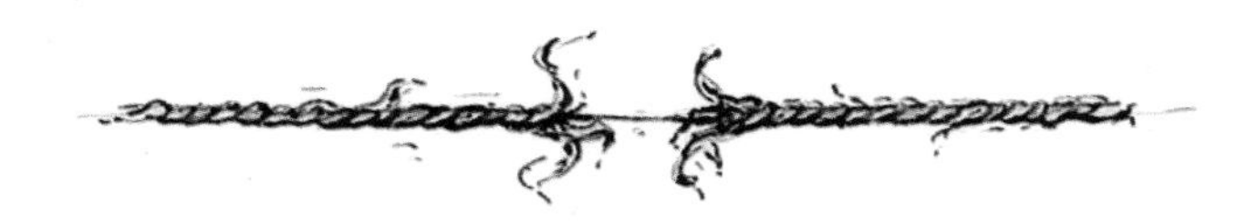

Prąd wkrótce zniósł weselników w dół strumienia. Małe myszki z początku piszczały przestraszone, ale kiedy się przekonały, że nic złego im się nie dzieje, wróciły do zabawy.

Tratwa tymczasem dryfowała spokojnie, mijając łąki jaskrów i polnych kwiatów. Nornice, pilnujące na brzegu pieców garncarskich, machały do przepływających obok nich weselników.

W końcu tratwa utknęła w liściastych zaroślach z trzcin i niezapominajek. Tam ją znowu zacumowano i tańce zaczęły się od nowa.

Nad polami zapadł nareszcie zmierzch – złoty i mglisty. Niebo powoli ciemniało i myszki zaczęły myśleć o powrocie do domu. Całe jedzenie znikło, a puste rondelki i garnki czekały w trzcinach, by je nazajutrz pozbierać.

Weselnicy wracali poprzez pola oświetlone wieczornym słońcem. Prezentowali się świetnie w swoich odświętnych strojach. Najpierw odprowadzono starego pana Nornicę do jego norki, a potem reszta myszy stopniowo rozeszła się do swoich domków – zmęczona, ale szczęśliwa.

A co z Mączniakiem i Makóweczką?

Cichutko wymknęli się do lasku pierwiosnkowego. Rosło tam mnóstwo pierwiosnków, lecz wśród wysokich traw, paproci, dzikich róż i kapryfoliów stał też mały domek, który już wcześniej sobie upatrzyli. Był bowiem wymarzonym miejscem na miesiąc miodowy.